S0-AHO-820

هل في إمكانِكَ... أنْ تَجِدَ هذِهِ البَطاريقَ في كِتابِكَ؟

بِطْريقُ أَديلي

الْبِطْريقُ الإِمْبَراطورُ

الْبِطْريقُ الأَزْرَقُ الصَّغيرُ

بِطْريقُ الذَّقْنِ الْمِصْيَدَةِ

بِطْريقُ ماجِلاّنَ

بِطْريقُ جِنْتو

بِطْريقُ ماكاروني

بِطْريقُ جُنْدُبِ الصَّخْرِ

فَنَسْعَدُ كُلُّنا، وَتَبْدَأُ الْأَفْراحُ.

ثُمَّ يَفْقِسُ الْبَيْضُ، وَتولَدُ الْأَفْراخُ.

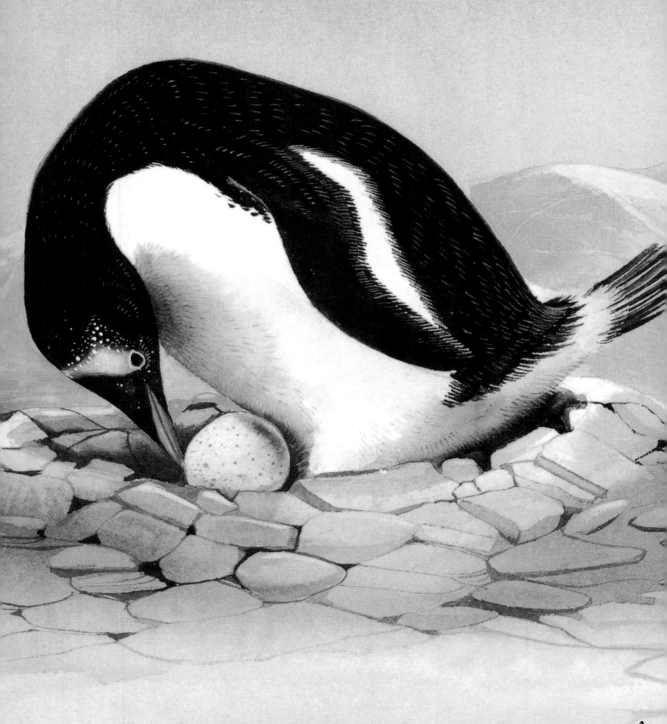

نُراقِبُها، نَحْرُسُها، وَنَنْتَظِرُ...
لِئَلاّ يُصيبُها الْأَذى أَوِ الْخَطَرُ.

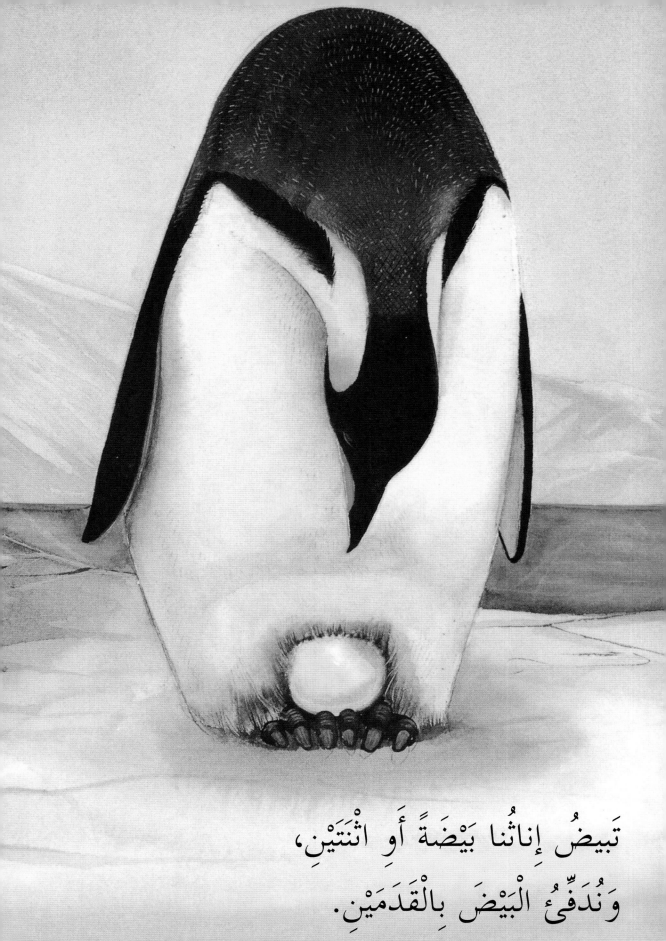

تَبيضُ إِناثُنا بَيْضَةً أَوِ اثْنَتَيْنِ،
وَنُدَفِّئُ الْبَيْضَ بِالْقَدَمَيْنِ.

نُجَهِّزُ الْأَعْشاشَ لِلْفِراخِ الصِّغارِ،
وَنَرْتاحُ خِلالَ الْانْتِظارِ.

نَعيشُ مَعًا بِالْآلَافِ، وَنَتَوالَدُ.

عَلى الْيابِسَةِ، أَسْرابًا وَمَجْموعاتٍ نَتَواجَدُ.

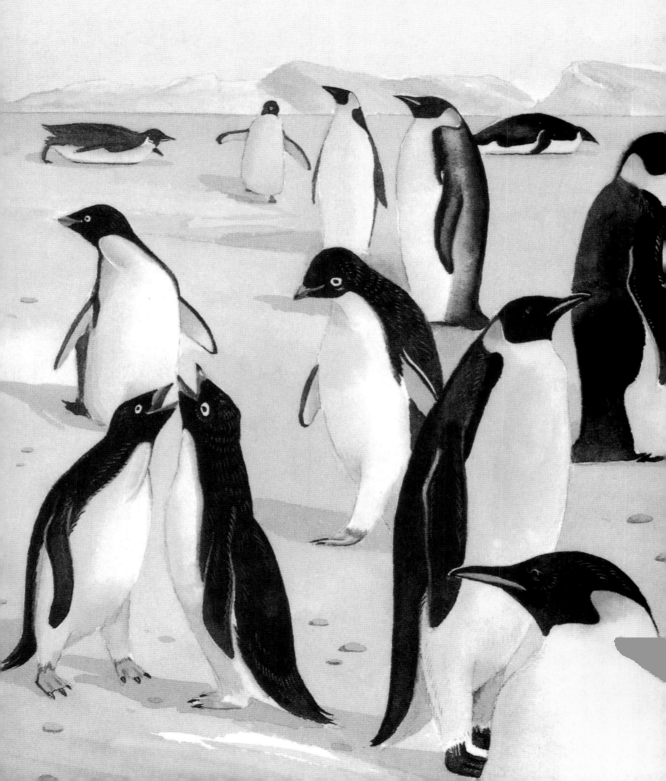

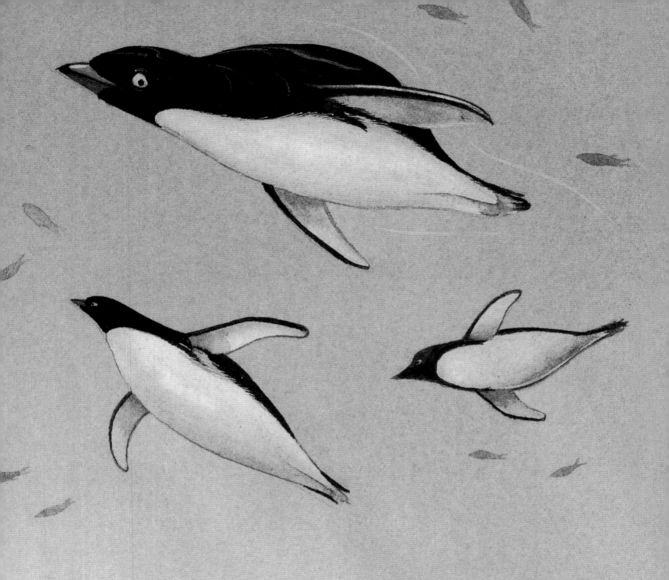

لِكنّنا نَخْشى الْفُقْماتِ وَالْحيتانَ...
كَيْلا تَأْكُلُنا، كَما نَأْكُلُ الرّوبْيانَ.

نَجِدُ في هذا الْمَكانِ، أَوْ ذاكَ الْمَكانِ... كَثيرًا مِنَ السَّمَكِ الصَّغيرِ، وَالْحُبَّارِ، وَالرّوبْيانِ.

إِنَّها مَأْكولاتُنا الشَّهِيَّةُ، وَمَوارِدُ عَيْشِنا الْغَنِيَّةُ.

نَتَهادى في سَيْرِنا وَنُكْمِلُ،
وَعَلى رِجْلٍ واحِدَةٍ نَحْجِلُ.

نَسْبَحُ، وَنَغْطِسُ إِلى الْأَعْماقِ،
بَحْثًا عَنْ أَطْيَبِ الْأَسْماكِ.

لا نَطيرُ، مَعَ أَنَّنا طُيورٌ.
وَهُوَ أَمْرٌ غَريبٌ وَمُثيرٌ.
هَلْ تَظُنُّ أَنَّ ذلِكَ خَطيرٌ؟

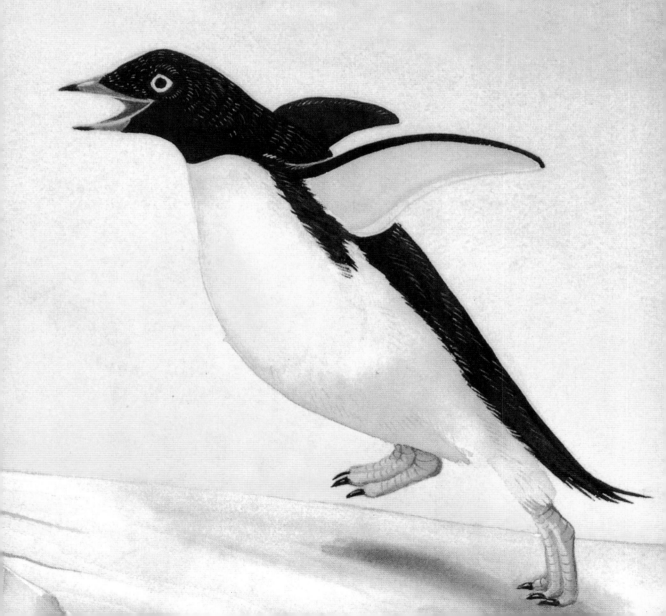

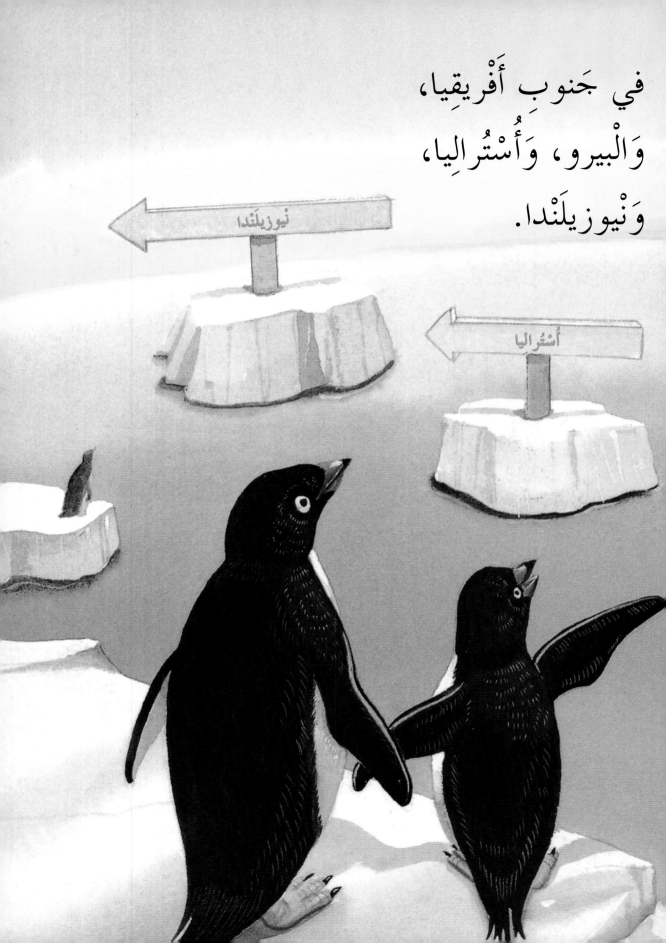

فِي جَنوبِ أَفْريقِيا،
وَالْبيرو، وَأُسْتُرالِيا،
وَنْيوزيلَنْدا.

لكِنَّ بَعْضَنا، في مَناطِقَ أُخْرى، تَبَلَّدَ ____

مَوْطِنُنا في الْقُطْبِ الْجَنوبِيِّ.
في الْقُطْبِ الْمُغَطَّى بِأَجْمَلِ الْجَليدِ،
مِنَ الْقَريبِ وَمِنَ الْبَعيدِ.

وَلَيْسَ مِنْ غَيْرِ الطَّبيعِيِّ،
أَنْ يَتَمَيَّزَ بَعْضُنا بِالْلَوْنِ الْبَهِيِّ.

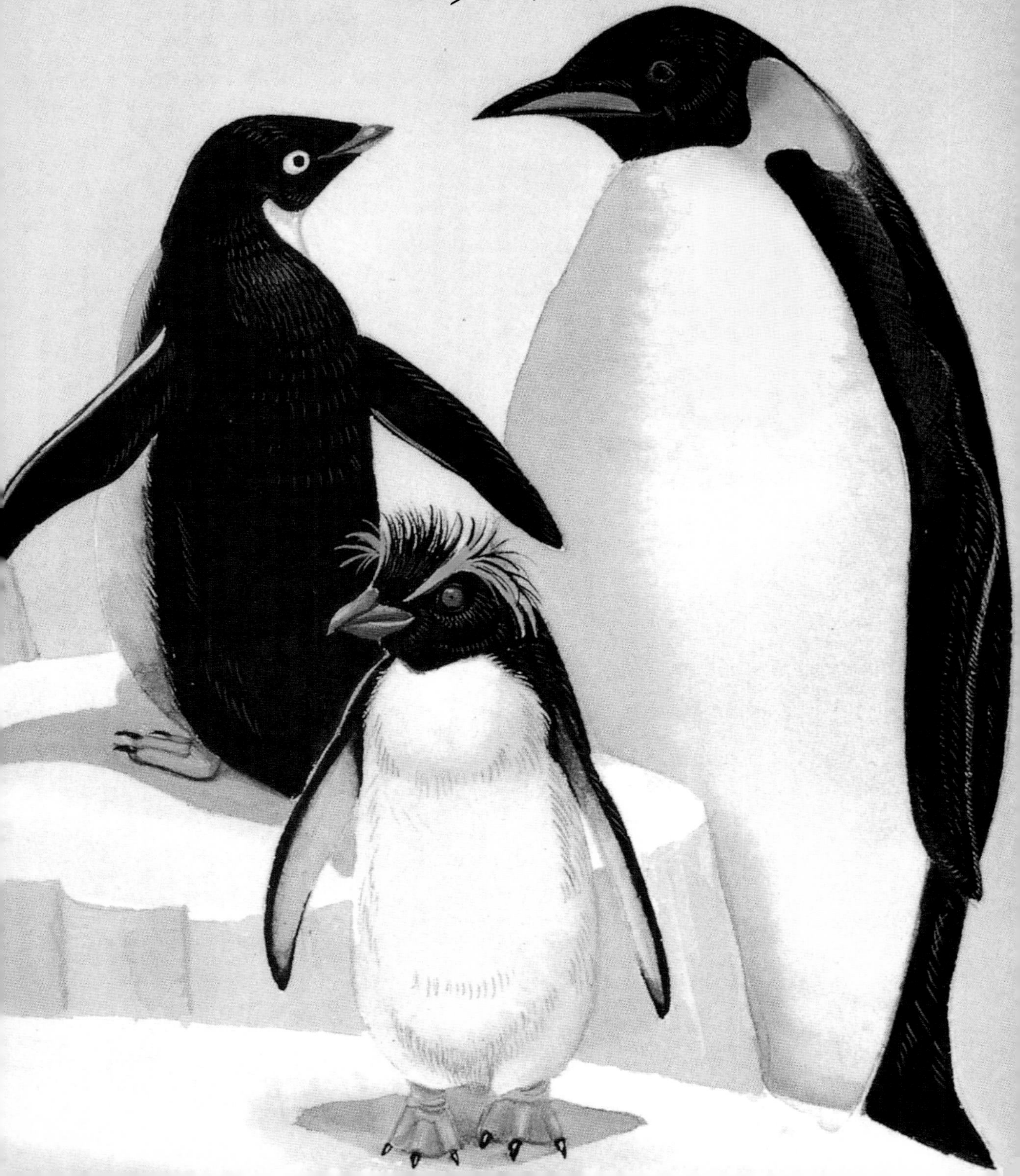

فَوْقَ الْعَيْنِ حاجِبٌ
طَويلٌ، كَثيفٌ...

وَشَعْرُ الرَّأْسِ
شائِكٌ، طَريفٌ.

في أَجْسامِنا،
بَعْضُ الْخُطوطِ الْمُقَلَّماتِ...

أَوْ بَعْضُ الْبُقَعِ الْمُنَقَّطاتِ.

وَأُخْرى صَغيرَةُ الْأَجْسامِ.

ريشُنا مُسَنَّنٌ،

حادٌّ، مِثْلُ الْحَديدِ.

هَلْ تُريدُ مَعْرِفَةَ الْمَزيدِ؟

بَيْنَنا بَطاريقُ كَبيرَةُ الْأَحْجامِ،

أَنا الْبِطْريقُ الصَّديقُ.
تَعالَ يا رَفيقي، أُعَرِّفُكَ إِلى أُسْرَةِ الْبَطاريقِ.

مَنْ هُوَ الْأَسْوَدُ وَالْأَبْيَضُ، الْأَنيقُ؟

R03236 50851

بَطاريقُ كَثيرَةٌ

تَأْليفُ: سونْيا و. بْلاك • رُسومُ: توري ماكْكومْبي

Text copyright © 1999 by Sonia W. Black.
Illustrations copyright © 1999 by Turi MacCombie.
Activities copyright © 2003 Scholastic Inc.
First printing, November 1999
All rights reserved. Published by Scholastic Inc.

SCHOLASTIC, and associated logos
are trademarks and/or registered trademarks of Scholastic Inc.

No part of this publication may be reproduced, or stored in a retrieval system, or
transmitted in any form or by any means, electronic, mechanical, photocopying, recording, or otherwise,
without written permission of the publisher. For information regarding permission, write to Scholastic Inc.,
Attention: Permissions Department, 557 Broadway, New York, NY 10012.

ISBN 978-0-439-86381-0

First Arabic Edition, 2006. Printed in China.

1 2 3 4 5 6 7 8 9 10 62 11 10 09 08 07

بَطاريقُ كَثيرَةٌ

JUV/E/ Ar QL 696 .S473
Black, Sonia.
Ba.t¯ar¯iq kath¯irah

DISCARD